郑栗儿/著

萧湄羲/绘

大师密码 A-Z系列

大师密码J

神奇大布袋

人民东方出版传媒
People's Oriental Publishing & Media
東方出版社
The Oriental Press

图书在版编目（CIP）数据

大师密码．J，神奇大布袋 / 郑栗儿著；萧湄羲绘．—北京：东方出版社，2015.10
ISBN 978-7-5060-8702-5

Ⅰ．①大…　Ⅱ．①郑…　②萧…　Ⅲ．①儿童故事—作品集—中国—当代　Ⅳ．① I287.5

中国版本图书馆 CIP 数据核字（2015）第 259164 号

大师密码 J：神奇大布袋
（DASHI MIMA J: SHENQI DABUDAI）

作　　者：郑栗儿
绘　　者：萧湄羲
产品经理：张媛媛
责任编辑：张媛媛
出　　版：东方出版社
发　　行：人民东方出版传媒有限公司
地　　址：北京市东城区朝阳门内大街 166 号
邮政编码：100706
印　　刷：小森印刷（北京）有限公司
版　　次：2016 年 3 月第 1 版
印　　次：2016 年 3 月第 1 次印刷
印　　数：1—5 000 册
开　　本：720 毫米 ×950 毫米　1/16
印　　张：4.75
字　　数：45 千字
书　　号：ISBN 978-7-5060-8702-5
定　　价：18.00 元
发行电话：（010）64258117 64258115　64258112

目 录

出版前言

每个父母都希望孩子未来能出类拔萃，并在孩子的教育问题上倾尽心力。

许多孩子长大后成熟乐观，在社会上如鱼得水，但不少人成年后并不快乐。他们即使地位显赫、经济条件优越，依然郁郁寡欢。带来快乐的因素有很多，其中起决定作用的则是人格。面对同样的问题，不同的人格往往造就不同的结果。

怎样才能培养健全的人格？我们不妨到传统文化中去寻找答案。几千年来，儒、道、佛相得益彰，共同塑造着国人的精神世界。儒家关切社会的治理，道家关怀生命自然状态的保持，而佛家则关心人生痛苦的解除。故此，历史上就有“儒家治世、道家治身、佛家治心”的说法。

今天很多人习惯于将佛教简单理解为一种宗教，有的人甚至认为它是封建迷信。如果去掉宗教的外衣，它其实是一座充满智慧，兼具心理、品德教育功能的文化宝库。

为此，我们从台湾引进了这套“大师密码”A–Z 系列。这套书以 130 个佛教大师的成长故事，体现了 130 个美好的人格特质。沉着、孝顺、无畏、远见……从这些有趣的故事里，孩子们不但可以学会如何获得成功，更能明白如何倾听内心的声音，获得快乐。

这套书结构编排巧妙，集合了台湾优秀的作家及插画师。书中故事生动活泼，插画精美，在台湾广受好评，曾获得台湾“第 27 次中小学生优良课外读物推介”。相信它同样会得到大陆青少年朋友的喜爱。

推荐序

大师的密码　成功的特质

在我还是青少年时，就很喜欢阅读佛教大师的传记故事。可以说，我的人格就是从阅读大师的史传故事，点点滴滴建立起来的。

不论大人、小孩都喜欢读故事，法鼓文化历时两年的筹备，制作了这套有丰富精美插画的“大师密码”A–Z 系列。这套书中，选出 130 个“大师的美好特质”，一个特质就是一个大师故事，让孩子在趣味的故事中自然吸收大师的养分。

我曾指出佛教的高僧必须具有四大条件：持戒清净、修行精进、慈悲济众与护持佛法；如果转换成现代人的语汇，就是自律、认真、宽大、懂得回馈，而这些正是所有成功人士必备的条件。

很多家长以为孩子学佛会变得消极、不具竞争力；如果从大师的四大条件来看，这样的想法完全错误！孩子接触佛法绝对会更积极、健康，能为他们的一生奠定稳固的基础。

大师们的成就绝非偶然，也没有人一出生就是大师，父母应该提供这样的环境，让人格正在成长形塑中的孩子，吸收历代大师们的生命菁华，转化为他们自己的。我相信这一套“大师密码”A–Z 系列，能够成为孩子们成长的助缘！

聖嚴

台湾法鼓山禅修文教体系创办人

神奇大布袋

大师密码

Joyful 快乐

西方有个圣诞老公公，总是背着大袋子四处送礼；东方也有个喜欢送人礼物的布袋和尚，也是随身背着大袋子走天涯，没有人知道他从哪里来，年纪多大，只知道遇上他就有礼物可拿。可能是一包糖果，也可能是一首绝妙的即兴诗。

这个胖嘟嘟的大肚和尚，不但能为人带来快乐，他的妙言妙语，更是充满启发。曾经有人问他的名字，他说："我有一布袋，虚空无挂碍。打开遍十方，入时观自在。"又问他有什么行李，他说："一钵千家饭，孤身万里游。青目睹人少，问路白云头。"

据说他是弥勒菩萨的化身，真假没人敢确定。但如果能多读读他的诗作，学他的大肚能容，一定会像布袋一样变成"快乐菩萨"！

小档案 布袋

- 国籍：中国
- 自号：长汀子
- 专长：吟诗、播报气象
- 影响：大肚能容的形象与活泼的诗偈，带给人们无限启发
- 事迹：是心灵魔术师，以"百宝乾坤袋"带来让人破涕为笑的启发

“哈哈……哈……”从街上传来一阵阵洪钟般的爽朗笑声。

小孩儿们听见了，赶忙从家里飞奔出去，脸上挂着满满的笑容，呼朋引伴地大声说：“快点，布袋和尚来了！”

原来是挺着大肚子，让人看了忍不住莞尔一笑的布袋和尚出现了！

他的笑声像磁铁一样，吸引着人们围绕在他的身旁，大家都想看看布袋和尚这一回会从他背着的神秘布袋里，拿出什么新鲜玩意儿。连躲在小巷最深处穷人家的小男孩，也禁不住好奇心，鼓起勇气从破旧的小屋里走出来，跟在人群的后面，踮着脚尖远远地看着胖嘟嘟的布袋和尚向大家亲切问候：“各位乡亲，你们好啊！我又来了！”

所有的人也都扯着喉咙响应着：“布袋和尚，您好！”

布袋和尚听了又哈哈大笑起来，其中有一个老先生却连咳了好几声，声音沙哑地说：“我不好，一直咳嗽，吃什么都没用！”

布袋和尚把手中的木杖搁在一边，将背包放在地上，一旁的人们都伸长脖子，看着布袋和尚的手伸进袋子里捞了一圈，取出一个木盒：“你吃吃看，这药粉挺有效的。”

布袋和尚把木盒递给老先生，老先生打开盒子，抓了一些药粉放在嘴里，清凉润滑的感觉直透喉部，没多久，口干舌燥一直要咳嗽的老毛病竟然消失了。

老先生脸上露出难以置信的表情：“真的！已经不咳了！”

其他人跟着欢呼起来：“布袋和尚的布袋太奇妙了！”

但布袋和尚的手没有停止，他继续从袋子里拿出东西，将一只木碗送给一位总是手抖摔破碗的独居老太婆，把一颗梨子送给一位爱哭的小女孩，将一把纸伞送给不小心弄丢主人家伞的年轻丫鬟……

带给人们欢乐的礼物一件件从布袋里送了出去，可是袋子还是鼓鼓的，好像一样东西都没减少一样。拿了礼物的人们渐渐散去，但那位穷人家的小男孩，还是怯懦地躲在人群后面，不敢上前向布袋和尚要礼物，他觉得向人开口要东西是很没礼貌的事，可是他的心里又很渴望能得到一件礼物，因为，他从来没收过任何礼物。

他的心意似乎被风传递了出去，不修边幅的胖和尚竟然往他这边走来了，小男孩吓得身体都快发抖了，但布袋和尚的笑声随即温暖了他：“哈哈，孩子，别害羞，我今天可是专程为你而来的！”

小男孩慢慢抬起头，望着布袋和尚圆圆的慈祥的脸，小声地问：“您知道我一直在等您来？”

布袋和尚蹲在小男孩的身边，从袋里取出一包米、一袋馒头，连同一大把糖果，把它们交到小男孩的手中：“这些都送给你，希望你快乐健康地长大。”

小男孩手捧着这一大堆礼物，感动得呆住了，因为他家的米缸已经没米了，连剩菜也没有了，眼看就要出去乞讨度日的时候，没想到布袋和尚竟然送他这么多食物。他开心地笑了！不只是他，街上所有的人都笑了，像布袋和尚一样开怀大笑，藏在每一个人内心深处的忧愁似乎都不见了。

这就是人们喜欢布袋和尚的原因，布袋和尚总是笑呵呵的，随时带给别人光明和欢乐，解除人们的苦恼。无论大街小巷，城市乡村，到处都有他快乐的足迹。

“可是布袋里的东西究竟是从哪里来的啊？”躺在床上还没睡着的小男孩，怎么猜都猜不透。其他的孩子也一样躺在床上想了老半天：“可能是他会变魔术吧！”

其实，每一次有人施舍物品和食物给布袋和尚时，他自己都只用一点点，其他的就都放在大布袋里，随时送给有需要的人。而且他随遇而安，就算在冬季，卧在雪堆里，也能够安稳地睡上一觉。最好玩的是，布袋和尚在外头待惯了，连天空下不下雨，他都能预知一二呢！当见他穿着湿鞋快步走在路上时，大家就知道马上要下雨了，出门时要记得带把伞。如果是即将发生旱灾，布袋和尚便拖着高齿木屐，在市中的桥上躺着不起，大伙儿就忙着拿水桶储水。

有一天，布袋和尚背起他的大布袋，在街头走来走去，迎面来了一位年轻僧人，有点儿垂头丧气的样子。

布袋和尚停住脚步，双手合十[1]对僧人说：“小和尚，能否布施[2]我一文钱呢？”

看见突然跑来了个胖嘟嘟的和尚挡在自己面前，年轻僧人不禁有点儿不悦：“可以啊！如果你能说出什么是真正的佛法，我就布施你一文钱。”

这位年轻僧人一直搞不懂什么是真正的佛法，感到很困扰，所以总是一脸沮丧。虽然他随口问布袋和尚什么是真正的佛法，心底却并不指望对方能说出什么答案。

❶ **合十**：又称合掌。为两掌合并，心念集中的一种恭敬的姿势。

❷ **布施**：以慈悲心给予别人各种物质与精神上的帮助，通过布施的行为能减少自己的贪心。

布袋和尚听完后，什么话也没说，只将身上的布袋放下来，双手叉腰而立。

年轻僧人看到这胖和尚奇怪的举动，原本怔了一下，后来脸上慢慢展开了笑容，最后哈哈大笑起来。他明白了布袋和尚所要告诉他的真正佛法的意思，欢喜地从怀里取出一文钱交给布袋和尚，并再三鞠躬致意，才转头离去，脸上一扫之前的阴霾。

原来，布袋和尚老早就看出这位年轻僧人心中的困扰了！他什么话都不说，表示真正的佛法不是用说的，而是要去做。“放下布袋”是要他放下心中的烦恼包袱，“叉腰而立”则是学会旁观世事，不要过于执着，如果能做到的话，那便是佛法所说的解脱自在了！

现在，布袋和尚收起他的一文钱，背起了布袋，又往需要欢笑的地方走去了！在任何地方，只要看到布袋和尚挺着能容天下难容之事的大肚子，和他那一只奇妙的大布袋，那一个夜晚，人们就可以安安稳稳地睡觉了，内心中充满了快乐！

“祝大家都跟布袋和尚一样快乐！”小男孩临睡前最后这样许愿。

江湖一侠僧

大师密码 Justice 正义

紫柏如果没有成为佛教大师，他可能会成为武林大侠。身形魁梧、性格豪迈的他，原本是个小游侠，喜欢饮酒玩剑，常因血气方刚，与人一言不合，便会大打出手。十七岁时，恰巧遇到了明觉法师，从此小游侠变成了大侠僧。

出了家的紫柏，不改剑侠本色！只要见到了没有人做，但需要人做的事，他总是义不容辞地一肩挑起，像重刻藏经、复兴寺院等；面对黑暗的政治，他更是仗义执言、挺身而出。即使到了老年，紫柏也不顾衰老的身体，拄杖到京城为人申冤。由于他的仗义执言，害他得罪了当权者，并蒙冤下狱。

紫柏一生大风大浪不断，但他的一身侠义风骨已成典范，让他在政治昏暗的明末，成为代佛说法的“正义之剑”。

小档案 紫柏

- 国籍：中国
- 别称：紫柏老人、明代四大高僧之一
- 专长：伸张正义、禅修
- 影响：创刻方册大藏经，让佛经更易流通
- 事迹：主动发起刻藏经，承担庞大的经费与复杂的工作

下雨了，十六七岁的带剑少年驻足在苏州城楼底下，雨下得可真大，将去路都挡住了。少年心中有一股热烈的侠义情怀，年纪轻轻就想仗剑去塞外游历，准备随时来个“路见不平，拔刀相助”，没想到从吴县才走到苏州城，就被这场暴雨给困住了。

从雨中走来一位撑油纸伞的僧人，好心地问他：“小施主要去哪里？贫僧可以顺道送你一程。”

少年英气的脸庞上浮出了一丝落寞：“我是四处流浪的人，没有一定的去处。”

僧人点点头，忖量着这雨一时间不会停的：“既然如此，不如跟我回虎丘寺住一宿，再作打算吧。”

少年豪迈地回答：“好啊！谢谢师父收留。”随后两人共撑一把伞，边走边谈，少年将他满腹行侠仗义的理想告诉了这位叫作明觉的法师。走了没多久，虎丘寺已在眼前，当跨入寺门的那一刻，少年的心里突然有一种回家的感觉，在虎丘寺听到的诵经声犹如天籁般传入耳中，少年的心竟然被佛语打开了，隔天他便向明觉法师叩头，请求剃度出家。

就这样，少年游侠一夜之间，变成了少年和尚——紫柏真可。

转眼一个月过去了，这天明觉法师愁容满面地和人谈事：“造钟需要一万斤生铁，去哪里找这么多生铁呢？”

原来佛寺的大钟因时间久远，裂开了一道大缝，已不能再使用了，必须另铸新钟。明觉法师找人估算出造新钟得用上一万斤生铁，这下子可难倒了他。

众人因为想不出什么好办法，便都沉默不语，这时率真的紫柏说话了：“师父，您别烦恼，弟子出去几天，帮您把一万斤生铁找来。”

明觉法师知道紫柏急公好义的性情，赶忙劝阻：“这可不是容易的事情，让师父来处理就行了。”

紫柏却信心满满地说：“我去去就回，师父别担心。”说完，向师父行个礼后便下山了。

紫柏走了好几里路，来到苏州城一户大宅子前面，双腿一盘安稳地坐在门口，起初管家以为他是来化缘的，便施舍他一碗面，没想到这小和尚面也没吃，话也不说，人也不走，在门口整整打坐一整天。没办法，管家只好请员外亲自出面和这小和尚沟通。

“我说小和尚，您是为何而来的？不如进来让我布施一番。”紫柏总算见到了员外，这才开口将来意一五一十地说出：“我个人吃饭事小，佛寺造钟事大；员外如愿意布施一万斤生铁，那功德可比布施小僧来得更广、更远。”

紫柏的这番话，说得员外满心感动，心里十分佩服小和尚这种无私的精神，便立即派人筹足一万斤生铁交给紫柏后并运回虎丘寺，这可让明觉法师大大地吓了一跳。紫柏这段募铁的事迹，也随着新钟的钟声响彻了整个苏州城。

尽管如此，有几位不长进的师兄却对紫柏不以为然，认为他好出风头。有一天，紫柏在竹林挑水浇菜时，发现师兄们在林子里喝酒吃肉，紫柏看见后立刻板起脸孔，严厉地呵斥：“你们怎么可以公然犯戒呢！”

师兄们并不理他：“别以为你帮忙募得生铁就了不起了，对我们说话这么大声，你以为你懂得多少佛法？”

紫柏一听，转头便跑回佛寺朝明觉法师扑地跪下：“师父，我募生铁的举动可能太过莽撞，不够善巧，所以引来争议，请师父让我闭关❶读经。”

明觉法师得知了事情的来龙去脉后，除了惩罚犯戒的弟子们外，也同意让紫柏闭关读经。大家原以为紫柏最多只闭关一个月，没想到一年半后才见到他出关的身影，这时的紫柏表面上和昔日没有分别，佛学的造诣却已今非昔比了。为了追求更高深的佛法，紫柏开始云游天下，参访名师，实践着他少年的游侠梦想。

❶ **闭关**：闭门谢客，择定一室为关房，隐居修行。闭关期间不能离开关房，期限可为数月，也可数年。闭关的人依修行目标不同，或阅读经藏研究佛法，或有专修法门。

“师父今晚在哪里挂单[2]？”江南水乡之都嘉兴官员陆太宰正盛情招待着紫柏，两人谈佛法谈得很开心。

“久仰楞严古寺之大名，我想去那里住一晚。”

太宰叹了一口气：“那座古寺早已被当地盐商当成私人的林园，恐怕您是进不去了！”

紫柏笑说：“没关系，我还是想去瞧瞧。”

那一晚，紫柏露宿在古寺园林外的石头上，他仿佛看见古寺兴盛时袅袅升起的香烟，看见了诸佛的微笑，如今佛法已荡然无存，古寺成了有钱人家的点缀，紫柏的内心不禁一阵感慨。

[2] **挂单**：僧人出门在外，借住于寺院。

隔天回到陆太宰的府邸，紫柏与太宰商讨如何将古寺赎回以重建禅堂一事。

“对方有钱有势，恐怕不会让步，如果闹到京城，也不见得对我们有利。”太宰忧虑地说。

“虽然如此，我们还是应该放手一试，尽人事而听天命。”

紫柏不畏强权的坦荡正直，让太宰由衷地敬佩。经过一番努力协商，总算争回了部分土地，还兴建了五座新的禅堂。但太宰的忧虑还是成真了，那盐商始终不肯放手，双方的官司整整持续了二十多年，直到下一任太守才总算完整地取回地产，这件事才最终告一段落，紫柏为维护正义的耐力，早已经没有当年行侠仗义的冲动了。

离开虎丘寺一转眼三十年过去了，紫柏想起恩师明觉，决定回去探视一趟。哪知来到苏州城，问起当地人，都说不知道虎丘寺有明觉这位法师，运河上一名摇船的老人家，敞开喉咙说：“他已经不当和尚了，现在当医生呢！”

紫柏便雇下这艘船，假装自己生病了，请船夫找明觉来船上看病，他想：“师父这时一定不想见我，如不出此招，可能就再也见不到师父了。”

果然，明觉一登上船，看见紫柏就要离开，紫柏赶紧拉住师父的手：“甘愿放弃之前的修行，您这是为什么啊？”紫柏深知他不能轻易放手，自己以佛法度人无数，怎可以让师父错失了！

师父脸上又是泪又是感慨，他不逃了：“现在你已是大师了，就为我指点迷津吧！”

紫柏回答：“那就再出家一次。”随后，便为明觉剃度，明觉反过来以弟子身份追随紫柏。

紫柏一生有情有义，为佛法和众生全力奉献，可以说是佛教界正义的化身。

少年教主定江山

大师密码

Judgment 判断力

“八思巴”的字义，就是圣者、神童的意思。那么他到底有多神呢？出生于西藏的他，才三岁便会为人讲说复杂的密法，经常语惊四座，因此被尊为此名。

童年是神童，年及十七的八思巴，已成为萨迦派第五代祖师。虽然年少，但他气宇非凡、见地卓越，难怪忽必烈与他初次见面时，便被他的高瞻远瞩所征服，拜他为上师。十九岁时，八思巴更被忽必烈奉为国师，统领全国佛教与藏族地区的事务。后又受命创制蒙古文字“八思巴文”，元帝因此赐号“大宝法王”。

他的智慧及判断力，不但让西藏百姓免受战争之苦，奠定了元朝发展的基石，更大大地促进了汉、蒙、藏各民族之间的文化交流。

小档案 八思巴

- 国籍：中国
- 别称：萨迦派第五代祖师
- 专长：造字、密法
- 影响：元世祖忽必烈敬为国师，帮助安定元朝，并创制蒙古文字“八思巴文”
- 事迹：让各族人民能和平相处

一座座军用帐篷矗立在川藏地区的宽阔草原上，一位身形壮硕、三十多岁的蒙古统帅，正在其中一座最大的帐篷内来回踱步，脸色看起来非常凝重。

他在等待一个人。

一个即将与他共创未来的人。

这位看起来英勇果敢的统帅，就是后来建立元朝、一统中国的皇帝——元世祖忽必烈。

公元一二五一年，蒙哥即位蒙古大汗，任命弟弟忽必烈为漠南汉地大总督，负责掌管大漠以南的地区；才上任没多久，忽必烈便立刻展现出他卓越的见识和野心，来年就率兵侵入南宋的四川，准备进一步攻打大理国。

想到未来西藏对他霸业的重要性，忽必烈便派人将刚接任西藏萨迦派[1]教主之位的八思巴迎请过来共商大计——他知道西藏人个个勇猛善战，不是用武力就可以让对方轻易屈服的。

[1] **萨迦派**：公元十一世纪初，由贵族昆·贡却杰布所创，最著名的领袖是八思巴。

“萨迦派教主八思巴来了。”军官大声地报告。

一听到八思巴来了，忽必烈马上露出了欣喜的笑容：“欢迎！我等您很久了！”

话才说完，一见到八思巴本人，忽必烈却大失所望：原本以为来的人是多么特别的大人物，没想到竟然只是一位十几岁的毛头小子，他不禁疑虑：“这小孩儿能帮我什么忙呢？”

但少年教主八思巴，却以成熟稳重的口吻问：“不知总督请我来此，有何吩咐？”他一点儿也不怯懦的模样，反而让忽必烈感到十分好奇，心想：“不如我先把意图说明清楚，再看这小子会有什么反应！”

“我即将率兵攻打大理国，所以想向西藏征集兵力和物资，并和西藏建立和睦的关系，不知您有何见解？”

八思巴先以谦虚的态度回答：“不敢当！”随后却展露了他的博学内涵，一点儿也不像是个十几岁的少年，倒像是个八十岁的智者，只见他滔滔不绝地陈述，愈说愈让忽必烈刮目相看。

“自古以来，藏族和蒙古族共同信仰着佛教。如今蒙古族要扩展版图，如果要更稳固与西藏的友谊，我们应该让佛教继续发扬光大，成为彼此和谐的基础。”

八思巴停顿一下，接着说：“至于征兵攻打大理国，则不太妥当，不但会遭到民怨，也会破坏我们之间的关系，如果只是单纯地提供物资，我想是没有问题的。”

八思巴将在中国所学到的历史知识加以彻底发挥，还巧妙地展开宗教宣传，并对当前的局势做了一番正确无误的判断，让忽必烈完全忘记先前对他年龄的顾虑，一时间还以为是在听一位阅历丰富的长者侃侃而谈。

“嗯！您说得好！就这么办吧！”

为了能顺利地管理西藏，忽必烈欣然接受了八思巴的建言，又向他请教了许多关于西藏历史和宗教方面的问题，八思巴巨细靡遗地为他讲解清楚，这让忽必烈对八思巴先前透彻的分析，所显示出来的判断力更加信服。

后来忽必烈成功地攻下大理国，并依照过去的惯例，崇信藏传佛教。两年后，忽必烈正式拜八思巴为师。

“我说师父，您看藏传佛教有这么多派别，不如我下个命令，让大家一律信仰萨迦派，就可以省去不少麻烦。”

忽必烈想表达他对八思巴的忠诚，让萨迦派的影响力扩及全西藏，以奠定八思巴独一无二的佛教地位，便兴致勃勃地提出这个建议。

但八思巴并不以为然：“这不但会让西藏整个佛教界大乱，严重的话甚至会引发内部各地的战争。”

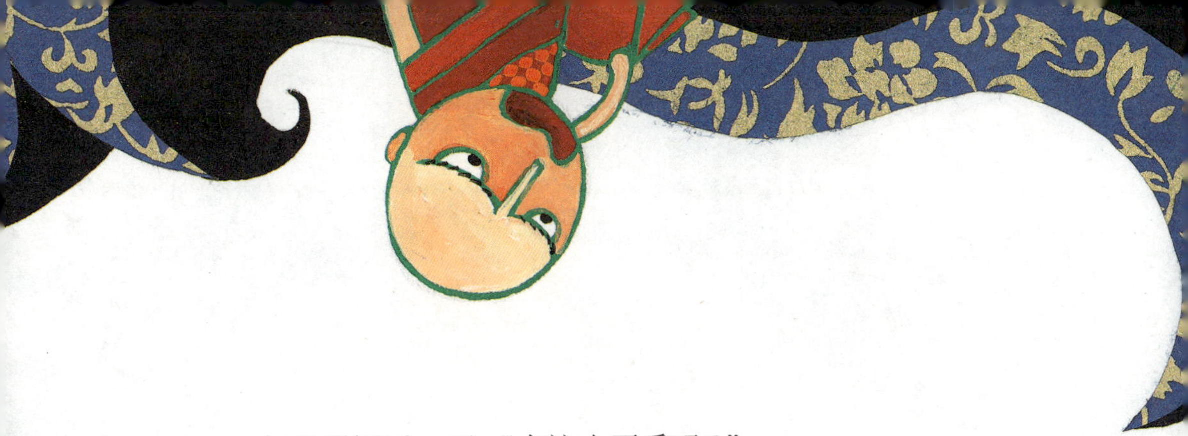

忽必烈怔了一下："有这么严重吗？"

八思巴进一步解释："各派都有独特的修行法门，都很值得尊重，如果强加阻断，一定会引起极大的反感，可能会弄巧成拙！"

"原来如此！"忽必烈恍然大悟。

八思巴实时的劝阻，不但顾全了大局，也免除了一场宗教危机。他无私的胸怀，更加赢得各教派宗师的认同，在众人的心中，俨然就是藏传佛教的共主了。

公元一二六〇年，忽必烈即位了，随即任命八思巴担任国师，正式成为全国的佛教领袖。八思巴以他特殊的地位，积极推动着文化交流和佛经翻译等工作，有一天他还接到忽必烈交给他的一项特殊任务，要他创制蒙古文字。

忽必烈想也没想，就认定八思巴是最好的人选，不料此举却引起朝廷官员们议论纷纷。

“可是，蒙古文字不是在成吉思汗时期才创制不久？”

“哎呀，那哪算是蒙古文，根本就是维吾尔文的翻版。”

原来当初是维吾尔人帮忙创制的蒙古文，两者之间差异不大，而且很不精准，这让忽必烈很不满意。他觉得蒙古应该有自己的文字，便下定决心要创制新的蒙古文。

八思巴接到命令后，觉得这是非常有意义的一项使命，在回到西藏萨迦寺后，他前后花了三年时间，潜心研究判断，参考了藏文和梵文，另外和许多知名学者讨论，发明出“八思巴文[2]”，此举让忽必烈非常满意。

“太好了，国师，您这套新的蒙古文完全超越了旧蒙古文的水平，还能够拼写出汉文，往后我们也能欣赏到中国重要的典籍了！”忽必烈随即颁布至全国各地，一律使用蒙古新字。

八思巴卓越的贡献不只于此，他担任国师后，用毕生的精力促使西藏地方和广大藏族地区归附元朝中央，他和忽必烈一起开创了皇室与西藏地方佛教领袖的宗教、政治关系格局。因为八思巴绝佳的判断力，使藏传佛教开创新局面，达到前所未有的巅峰。

❷ **八思巴文**：八思巴所创制的蒙古拼音文字。

都怪骄傲惹的祸

大师密码 Joint Efforts 同心协力

有句话说："聪明反被聪明误。"佛陀耶舍曾经就是这样一个人，如果他一直都觉得自己厉害到没有人可以当他的老师，不需要再学习，那么我们恐怕就看不到他成为一代大师了。

佛陀耶舍是北印度罽宾国人，十三岁就出家了，出家才短短两年，就已经能够每日诵经二三万言，可说是聪颖过人。但也因此让他自视甚高，不愿被人指导。所以他出家都十几年了，还是个小沙弥，直到二十七岁才受比丘戒。幸好他也因此自我忏悔，从此谦虚待人。

这个留得一口红胡子的佛陀耶舍法师，虚心学习不懈怠的结果是，终于成为受邀到中国译经的一代译经名家，翻译出许多重要的佛教经典，让他的生命智慧能够与大家共同分享。

小档案 佛陀耶舍

- 国籍：印度
- 法号：赤髭毗婆沙
- 专长：译经、研究律论注释
- 影响：翻译《长阿含经》《四分律》等重要经律
- 事迹：与鸠摩罗什一起合译佛经

虽然才十九岁，但佛陀耶舍觉得自己已经是一位完美的出家人了。

这也难怪，很早以前，耶舍就展现出他过人的智慧。十三岁刚出家那一年，他和师父去远方旅行，旷野中突然出现一只凶猛的老虎，嘴巴不停地嚼动，嘴角还流出口水，好像要扑过来吃掉他们。

师父吓得紧紧拉着耶舍的手，转身就要逃跑。耶舍却紧盯着那只老虎，镇静地对师父说：“师父，别怕！这只老虎已经吃饱了，不会咬我们的！”

师父害怕得看也不敢看老虎一眼说：“你怎么会知道老虎已经吃饱了？”

耶舍指着老虎说：“它嘴里一直在吃东西，因此分泌出一堆口水出来。”

师父还是心存疑虑，心想：“老虎会流口水，明明是看到美食在前，哪里是吃饱了！”

这时，老虎竟然没事似的转头回到森林里。师徒俩趁机快步上路了，走了没多久，在前方岩石下果然看见一堆残骸，师父瞪大眼睛对他说：“你说对了！这老虎已经吃饱了，你真是厉害！”

经过几年的修持后，耶舍更加优秀了。一位老僧人很爱惜他的才华，每次外出托钵回来，都会把食物分他一半，让他有多余的时间可以读经。就这样，十九岁的耶舍已能背诵数百万言的经典，佛学见解也远远超越了别的僧人。但这些突出的表现，反而让他变得愈来愈自大："在这个世界上，谁有资格当我的老师呢？"

其他僧人受不了他目中无人的样子，纷纷离他远去，耶舍被自己的骄慢给关在角落里，没有任何师父愿意来帮他授比丘戒❶，就算他再聪明，都还只是一个小沙弥❷而已。

❶ **比丘戒**：又称具足戒，比丘戒共有二百五十条。比丘要受过具足戒，才能正式取得比丘的资格。

❷ **沙弥**：指佛教僧团中，尚未受完整戒律，年龄在七岁以上、未满二十岁的出家男子。

“拜托师父，请为我授戒吧！”耶舍向一位胡子长长的老和尚跪下磕头，不断地请求，这已是他四五年来登门拜访的第无数个师父了，之前每一位师父都拒绝他。

这个也不例外，说出让他更加难受的话：“你走吧！我没有资格为你授戒。”

“师父！就算我懂的比您多，您还是可以为我授戒啊！我不会在意的。”

耶舍还是不懂得谦虚为怀，老和尚听后挥手赶他走：“去吧！你太自以为是了，就像一只斗鱼一样，只能自己孤独地游在缸里，不能有同伴。但佛法是要利益众生的，你处处求自己的表现，不懂得和别人同心协力，产生了一股更大的力量，造福他人，就算知道再多佛学知识也没用，真是可惜了上天给你的聪慧！”

碰了一鼻子灰的耶舍，只好黯然地离去，这几年下来，他的内心犹如被箭射了一个洞：“唉！我一直觉得自己很了不起，别人都得尊重我，看来只是我的虚荣心作祟。就算我了解所有的佛学知识，却不能遵照这些知识来做，与人虚心相处，最后也是一事无成的。”

经过这番挫折后，耶舍开始收敛自己，学习用谦恭的态度待人，终于在二十七岁时，得到一位师父的同意，为他授比丘戒，让他成为真正的出家人。

不久后，沙勒国国王广发请帖，邀约三千位高僧前往沙勒国参加年度佛教盛会，耶舍也在受邀之列。当佛陀耶舍脚步徐缓地步入宫殿，王子达摩弗多见到这位红色胡子、端庄文雅的僧人时，立刻眼前一亮，开口问他：“您从哪里来呢？看您举止不凡，一定是位得道高僧。”

耶舍恭敬有礼地回答说：“王子，我来自罽宾国。出家已经多年了，我其实是很平凡的，很庆幸能得到佛陀和师父的教诲，这彻底改变了我。”

王子听后更加欣赏耶舍，又请教他许多佛学上的疑问，耶舍都能清清楚楚地详加说明，王子深感佩服，便把他留在宫内。这时，十几岁的鸠摩罗什[3]也随母亲来到沙勒国游历，得到沙勒国国王的重视，并安排他向道行高深的耶舍学习佛法。

耶舍并不以为鸠摩罗什年纪小就看轻他，相反地，他把鸠摩罗什当作知己一样看待，不时勉励他：“好好学习，你的智慧绝对在我之上，将来我们可以共同成就佛教大业！”

小鸠摩罗什点点头，伸出指头和大他许多岁的耶舍拉钩：“一言为定！”

[3] **鸠摩罗什**：东晋时代龟兹国人，为中国四大译经家之一。

后来鸠摩罗什被前秦王苻坚派兵迎请去长安，而在沙勒国已经待了十几年的耶舍，则带着弟子转往东方弘法，经过鸠摩罗什的大力推荐，当时的皇帝姚兴也邀请耶舍到长安，和鸠摩罗什一起译经。

再度见面，久违的两人喜极而泣，鸠摩罗什说：“您来得正好，可以担任译经大业的重任。”

耶舍谦逊地说：“译经的事业要靠大家同心协力，让我们一起努力吧！”

此时，鸠摩罗什正在翻译《十住经》[4]，遇到不少疑难问题，下笔十分犹豫，他便向耶舍请教，耶舍仔细看了鸠摩罗什的译文，非常赞叹："你的译文能够清楚地传达经文的原意，真是不简单！但为了完整呈现原意，文句难免会冗长，可以适度地修改，让它更加通顺。"

鸠摩罗什一听，喜出望外："对！我就是不知道怎么删才好！您来试试吧！"

耶舍拿着笔在译文上圈出多余的字句，鸠摩罗什则在一旁补充，让文意不要过于偏离原意。耶舍的译文精简流畅，罗什则忠于原意，两人正好相辅相成，通过这样的分工，一些重要的佛教经典陆续在中国诞生了。

[4]**《十住经》**：为《华严经·十地品》的别译。

耶舍住在皇帝为他新建的逍遥园，所有的生活所需都十分周全，但耶舍却非常节俭，除了一天吃一餐外，其余一概不接受，对于满屋子的供养物品，更是连碰都不碰。有一次皇帝为了庆贺《长阿含经》[5]翻译完成，送了一万匹布绢给他，却被他退回了，鸠摩罗什问他：“为什么把皇帝的赏赐予退回呢？”

耶舍笑着对鸠摩罗什说：“我们两人能在万里之外的他乡相遇，同心协力为佛教奋斗付出，这一份喜悦，早已胜过其他，我还要这份赏赐干吗呢！”

[5]《长阿含经》：由《杂阿含经》《中阿含经》《长阿含经》《增一阿含经》组成的四部阿含经典之一，纂辑系阿含经典中篇幅较长的经文而成。

你开心，世界就开心！

大师密码 Jubilant 喜悦

怀让禅师小时候不爱跟同学们玩耍，最喜欢一个人静静地阅读佛经。别人看他在爱玩的这个年纪，这样喜读佛经都觉得奇怪，只有一位路过他家的三藏玄静法师，对他父亲说：“这孩子如果能够出家，一定可以广度众生。”

不出几年，他父亲果然就让他在玉泉寺出家学习戒律。后来他又随禅宗六祖惠能学禅十五年，直到惠能大师逝世。由于他在南岳般若寺讲说惠能学说，开创南岳一系，所以被称为“南岳怀让”。

他和他的老师惠能一样教学灵活，像他知道马祖道一必为禅宗大将人才，便专程找他，以磨砖成镜之说，帮马祖道一找到禅法要领。这样一位教法活泼的老师，他的禅法也启发了无数后人体会禅的喜悦。

小档案 南岳怀让

- 国籍：中国
- 谥号：大慧禅师
- 专长：禅修
- 影响：开创禅宗的南岳一系法脉
- 事迹：教人学习体会禅法的喜悦

街坊的私塾里，老师正手拿一本《论语》摇头晃脑地念着："子曰：'学而时习之，不亦说乎……'"夫子的声音很低沉，像催眠曲一样，怀让头一点就睡过去了！

看见了不专心的小学生，老师语气严厉地喝他："怀让，下一句是什么？"

怀让揉揉眼睛，醒过来说："有朋自远方来，不亦乐乎？"他的回答让老师惊讶，竟然没有半点差错。

这孩子不知是哪门子的天才，才六七岁就会读书，书本看一眼便能全部记在脑子里。但每次上课，一读到四书五经这类儒家经典，就不停打瞌睡，每次考试，他却都能应对如流。

老师拿他没辙，只好叮嘱说：“读圣贤书，可以让我们得到崇高的喜悦，你要好好读，不许再睡了！”

怀让点点头，心里却打了个问号：“真的吗？可我每次读都很想睡觉呢！”

街上有间佛寺，平时怀让从私塾放学回家时都会经过。这一天也不例外，只见他伫立在佛寺外，全神贯注地不知在听什么，连夫子站在身边好一会儿了，也没发现。

老师只好叫他：“怀让，我已经注意你很久了，你每次下课都待在这里一两个时辰，究竟在干吗呢？”

怀让无辜地看着老师回答：“我在听佛经。”

老师责问他：“我看你听佛经听得很入神嘛！怎么不打瞌睡了？”

怀让露出纯真的笑容：“因为我喜欢听佛经，听了心里很欢喜啊！”

他一说完转头就往家跑，留下老师一人喃喃自语：“怎么会有这种事！”

有一天，三藏玄静法师从怀让家经过，怀让双手合十向他请安，法师点点头，也向怀让恭敬回礼，还向一旁怀让的父母说：“这孩子如果出家，将来可是位了不起的大师。”

父母亲一听，心中也明白了一大半，这孩子老爱读佛经，对佛学十分感兴趣，于是，几年后果真送他出家了。本来出家是件很高兴的事，但是精通戒律的弘景律师只要一教怀让读律学，他竟然又睡着了！

原来怀让对于这些琐碎的条文细节并不感兴趣，终于忍不住自叹说：“对我而言，学习禅法的禅悦才是真正的至高喜悦，只可惜不知怎样入门！”

幸好得到老安和尚的指点，怀让前去拜见禅宗六祖惠能[1]。

一见到身形粗犷、不拘小节的惠能大师，怀让的心中自然流露出一股欣喜，他知道眼前这位以顿悟闻名、其貌不扬的出家人，正是自己真正的老师。

惠能大师浑身散发着安静的气息，语气平和地问他：“你从哪里来的啊？”

怀让谦恭地回答：“从嵩山来。”

惠能大师又问：“带的是什么东西？”

怀让回答：“说它是东西也不对，但我可以肯定绝不会受到污染。”

[1] **惠能**：唐朝人，为中国禅宗六祖，力倡顿悟法门，是佛教中国化的关键人物。弟子将他的言教整理为《六祖坛经》传世。

惠能大师听完后大笑说："嗯！你的看法跟我相同，这个不会污染的，就是佛菩萨要我们留心维护的纯真之心，也是喜悦的泉源。而这也叫作平常心，一个人只要在日常生活中，做好每一件事，吃饭开心地吃，睡觉好好地睡，走路专心地走，不要想东想西，或者怨这怨那，就能得到真正的喜悦，这不正是你要的吗？"

怀让点头表示同意，虽然还不能完全明白惠能大师所说的意思，但已经有一点儿开窍了，他待在惠能大师门下，经过八年的修行，有一天终于开悟[2]，他欢喜地告诉惠能大师："师父，我知道了！"

师父问他："你知道什么？"怀让只是笑，没说什么，因为禅是不能用任何事物来比喻的，真正的禅要靠自己去体悟。

[2] **开悟**：彻底体悟宇宙真相的真理，并认清生死轮回的原因，永远不再被迷惑。

惠能大师过世后，怀让和几名弟子在南岳衡山开辟了禅宗道场，默默地过着讲禅的生活，像神秘的隐者一样，奉行“平常心是道”的自然哲学，并没有大张旗鼓地公开宣扬禅法。但怀让每天过得很快活，虚名对他而言，可以说是天上浮云，一点儿都不重要。

直到有一天，来了一位马祖道一当他的弟子，让怀让的声名因为这位杰出的弟子而流传天下。

道一来衡山坐禅，怀让见他是个可造之才，便巧妙地开示他：“坐禅可不是摆个打坐的样子，就可以成佛的。想成佛，你也不必特别做什么，因为你的心本来就有佛种，当你开心，世界就开心了；当你有喜悦的心，生活中的任何事都会让你喜悦，你就是佛了，还要打坐干什么？”

道一一听当场悟道，连忙跪下拜怀让为师，他得到怀让禅师的真传，并将南禅发扬光大，成为一派宗主，师徒二人不论多久没见面，总是默契十足。

晚年怀让禅师将六位高徒叫到面前，一一印可[3]他们的修行：“我这辈子过得很开心，因为生活中的每一件事都让我看见喜悦，得到喜悦，而我也把这平常心是道的禅法交给你们了！”

他对着常浩说：“你具备了威仪，可说是得到我的眉。”

又对智达说：“你善于察觉，可说是得到我的眼。”

转头对坦然说：“而你善于听理，得到我的耳。”

然后是神昭：“你为人和气，得到我的鼻。”

接着是严峻：“你很会说理，得到我的舌头。”

[3] **印可**：印证认可的意思。弟子修道成就后，经过老师的印证、承认、许可他的悟境。

“至于我的心，”怀让停顿了一下，对着马祖道一说：“你通晓宇宙古往今来的真理，你得到的是我喜悦的心，好自为之吧！道一，我们禅宗将因你而大盛。”

怀让说得一点儿也没错，日后，马祖道一果然将禅宗带到了鼎盛的辉煌时期，开启了一条特别的觉醒之道，而这也是怀让一生的追寻之路！